ZZZUT !

3/72

ZZZUT !

un roman écrit par Alain M. Bergeron
illustré par Sampar

case postale 36563 — 598, rue Victoria
Saint-Lambert (Québec) J4P 3S8

Soulières éditeur remercie le Conseil des Arts du Canada et la SODEC de l'aide accordée à son programme de publication et reconnaît l'aide financière du gouvernement du Canada par l'entremise du Programme d'Aide au Développement de l'Industrie de l'Édition (PADIÉ) pour ses activités d'édition.

Dépôt légal: 2001
Bibliothèque nationale du Canada
Bibliothèque nationale du Québec

Données de catalogage avant publication (Canada)
Bergeron, Alain M.
Zzzut !
(Collection Ma petite vache a mal aux pattes; 27)
Pour les jeunes de 6 à 9 ans.
ISBN 2-922225-56-9
I. Sampar. II. Titre. III. Collection.
PS8553.E674A92 1999 jC843' .54 C99-940526-8
PS9553.E674A92 1999
PZ23.B47Ar 1999

Conception graphique de la couverture:
Annie Pencrec'h

Logo de la collection:
Caroline Merola

ISBN-2-922225-56-9

58627

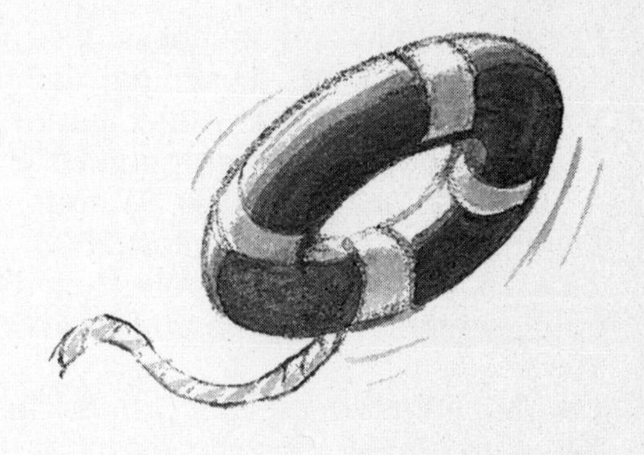

À mon ami
Samuel Parent

Du même auteur

Chez le même éditeur :

L'arbre de joie, illustré par Dominique Jolin, 1999, Prix Boomerang 2000

Zzzut !, illustré par Sampar, coll. Ma petite vache a mal aux pattes, 2002

Prix Communication-Jeunesse 2002

Mineurs et vaccinés, illustré par Sampar, coll. Ma petite vache a mal aux pattes, 2002, deuxième position livromagique 2003

Mon petit pou, illustré par Sampar, coll. Ma petite vache a mal aux pattes, 2003

Zak, le fantôme, coll. collection Chat de gouttière, 2003, finaliste au Prix Hackmatac 2003

Un gardien averti en vaut... trois, illustré par Sampar, coll. Ma petite vache a mal aux pattes, 2004

C'était un 8 août, coll. Graffiti, 1999, finaliste au Prix Hackmatac 2002

Les tempêtes, coll. Graffiti, 2004

Aux éditions Michel Quintin

Dans la série Savais-tu ? : les dinosaures, les chauves-souris, les araignées, les serpents, les vautours, les scorpions, les rats, les piranhas, les puces, les crocodiles, les crapauds, les termites, les hyènes, les corneilles, les taupes, les anguilles, les caméléons, les homards...

Aux éditlons Pierre Tisseyre

Coco, coll. sésame, 2000, *Espèce de Coco*, coll. Sésame, 2002, *Super Coco*, coll. Sésame, 2003, *Charlie et les géants*, coll. Papillon, 2003, *Coco et le docteur Flaminco*, coll Sésame, 2004

Chapitre 1

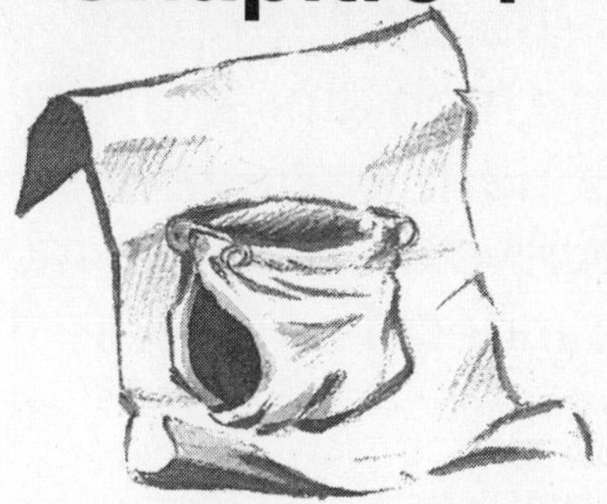

Tout... ou presque

J'ai tout prévu...

Je suis le premier à passer devant la classe de Geneviève pour la communication orale. C'est à cause de mon nom de famille : Abel. Mon prénom, c'est Dominic. J'ai huit ans et je suis en deuxième année.

J'aime être le premier, même si c'est un peu énervant. Une fois l'épreuve terminée, je me sens soulagé, libéré. Je ne voudrais pas m'appeler Valois, comme mon ami Anthony. Lui, il est le dernier de la classe de Geneviève. Sauf quand mon professeur décide d'inverser l'ordre

des noms. Alors là, c'est terrible. Je passe le dernier et je n'en finis plus d'attendre mon tour. J'aimerais bien m'appeler Valois à ce moment-là.

Entre Anthony et moi, il y a 25 élèves et presque autant de lettres de l'alphabet.

Il arrive toujours de drôles de choses lors des communications orales. Il y a quelques semaines, il fallait parler de notre animal préféré. Sophie avait apporté son hamster, mais il s'est enfui de sa cage. Le problème, c'est que l'animal préféré de mon ami Charles, c'est un chat... Eh !

C'est rapide un chat, surtout quand il a faim.

Sophie a promis à Charles que son prochain animal préféré serait un chien, un gros berger allemand.

Mais ce n'est rien comparé à ce qu'a fait la grenouille de Samuel à la collection d'insectes de Martine... Ouach !

Pour la communication orale, celle d'aujourd'hui, il faut raconter la plus belle journée de notre vie. C'est facile. Le plus beau jour de ma vie, c'est quand ma petite sœur, Isabelle, est venue au monde. J'étais tellement content quand elle est arrivée chez moi que j'en ai pleuré, comme papa.

J'ai écrit mon texte avec maman. On l'a lu ensemble deux fois. Puis elle m'a appris un truc.

Un truc mimo… mimo… mnémo… mimo… mémo… Ah ! Et puis j'ai oublié le nom, mais ce sont des dessins pour aider à se souvenir des mots. Par exemple, pour Isabelle, j'ai dessiné une couche.

J'ai répété le texte deux fois avec le mémo truc de maman, puis sans ma feuille. À la troisième fois, je l'ai eu parfaitement.

Je me suis endormi là-dessus le soir, ma feuille sous mon oreiller. Le matin, juste un coup d'œil sur mon texte tout froissé a suffi : tout est gravé dans ma mémoire.

Je suis prêt à casser la glace, à affronter la classe, à parler de ma petite sœur que j'aime. Après la récréation, c'est moi le pistolet de départ du groupe.

J'ai bu beaucoup de jus d'orange ce matin. Je dois aller aux toilettes.

—Tu viens, Doum-Doum ?

C'est mon surnom.

—Oui, Anthony, ça ne sera pas long.

C'est écho, la salle des toilettes, des toilettes, des toilettes, des toi... Pas mal plus que chez moi. On entend toutes sortes de bruits étranges et amusants. Je ne sais pas si c'est pareil du côté des filles.

Il ne faut pas rester trop longtemps dans cet endroit, parce que ça ne sent pas toujours très bon.

En répétant mon texte pour moi-même, je vise et je touche la cible du premier coup. Quelques secondes plus tard, j'ai terminé. Je tire la chasse d'eau qui fait un bruit d'enfer. C'est comme si la toilette voulait m'avaler.

—Et je vous remercie de votre attention...

Oui. Ça ira.
J'ai tout prévu...
Sauf ça !
Zzzut !

Chapitre 2

Un petit détail

« Ça », c'est un détail technique.

Un détail, peut-être, mais terriblement important.

« Ça », c'est ma fermeture éclair qui ne veut pas remonter. Elle refuse de prendre le droit chemin. Elle s'obstine à demeurer en bas. Pourtant, le salut, mon salut, est en haut.

J'ai beau tirer, rien ne va. Mais il n'y a pas de quoi paniquer.

Même que ça me fait rire. La situation est tellement ridicule.

Et si j'essayais de la main gauche ?

Ah ! C'est une bonne idée. J'aurais dû y penser avant. La main gauche, c'est la main du coeur. Et j'y vais avec coeur. On remonte tout et je m'en vais de ce pas rejoindre mes amis dans la cour d'école pour jouer au soccer.

Attention, l'ascenseur se prépare à...

Zzzut !...

L'ascenseur est en panne et la petite porte est toujours ouverte. Je ne peux même pas prendre l'escalier. En principe, tout ce qui monte redescend. Le contraire est aussi sûrement vrai.

Là, je commence à trouver ça moins rigolo. Il fait chaud dans la cabine. J'ai des gouttes de sueur sur le front. Je les essuie avec du papier de toilette. Double épaisseur... Une chance !

Je reprends mon courage à deux mains. Je saisis la petite languette de la fermeture éclair et je tire très très fort vers le haut.

Elle a bougé ! Oui, elle a bougé d'une toute petite coche.

Il ne m'en reste plus que 40 à gravir.

Je pourrais toujours m'en tirer à mi-chemin. Ce sera ça de sauvé.

Stimulé par mon exploit, je m'essaie à nouveau, et je tire, et je tire, et...

Plus rien.

C'est inutile. Comme si c'était pris dans le ciment.

Des pantalons neufs...

Non, mais... Je veux être remboursé !

Chapitre 3

Fin de la récréation

Je dois me sortir de là. Je pourrais me rendre en courant à la maison, changer de pantalon et revenir à temps pour la communication orale.

Il me faudrait la permission du professeur surveillant. Et...

Trop tard.

La cloche sonne la fin de la récréation.

Oh non !

J'entends le brouhaha des élèves qui entrent dans l'école, puis qui se rendent en classe.

C'est dire que... je dois y aller moi aussi ?

Dans cet état-là ?

Non ! Je ne bouge pas d'un poil. Pas question de me présenter devant la classe de Geneviève, le magasin ouvert devant tout le monde. Surtout que j'ai enfilé mes petites culottes Bugs Bunny. Elles sont très voyantes avec leurs couleurs fluo.

Et si j'y allais en regardant les élèves de la classe droit dans les yeux ? Non. Je constaterais qu'ils ont tous les yeux baissés, surtout les filles. Les gars se moqueraient sûrement de moi.

Mon ami, Charles, ça ne le dérangerait même pas. Lui, il passerait en maillot de bain devant la classe si ça pouvait lui donner plus de points à son bulletin. Il est plutôt culotté !

Je pourrais cacher mon ouverture sur le monde avec la feuille de mon texte. Impossible, c'est du par coeur.

J'aurais dû apporter ma casquette de baseball à l'école. Tout en parlant, de façon naturelle, je me cacherais le coup de circuit, sans que ça paraisse.

Autre suggestion à reléguer aux toilettes : les casquettes sont interdites à l'école. Et je fais des gestes dans ma communication orale. Geneviève, mon professeur, préfère ça. Quand je dis que j'aime ma sœur Isabelle grand comme ça, j'étends les bras. Je dévoilerais tout.

J'ai la solution : tourner le dos à la classe et parler directement au tableau. J'aurais sûrement des points pour l'originalité.

Non. Ce n'est pas encore ça.

Je l'ai !

Je n'ai qu'à sortir mon gilet de mon pantalon et l'étirer au maximum. Ah ! c'est intelligent. Ce n'est pas aujourd'hui qu'une fermeture éclair coincée m'arrêtera.

La solution à mon problème serait parfaite, à une exception près : mon gilet est beaucoup trop court pour cacher mon masculin singulier. À moins que je l'enlève et que je le mette autour de ma taille ? Non, les filles verraient bien que je ne suis pas très musclé. Elles pourraient même compter mes côtes...

Une panne de courant, ça marcherait ! Dans le noir, personne ne s'en apercevrait. Mais la météo ne prévoit pas de tem-

1
2
3

pête de verglas avant l'hiver prochain.

Pourquoi n'ai-je pas attrapé la varicelle ?

Chapitre 4

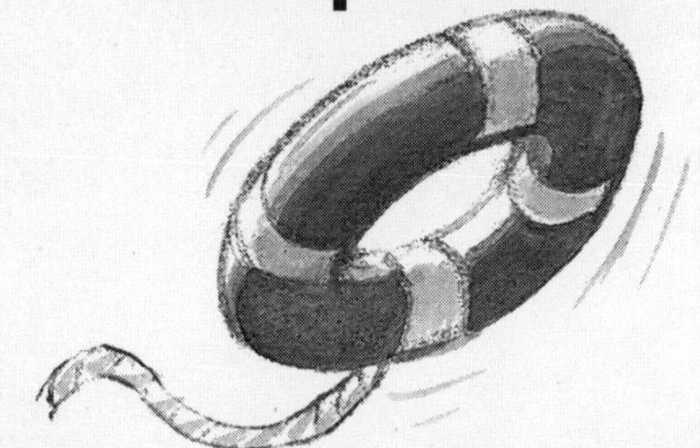

Un coup de main

Je me sens de plus en plus à l'étroit. Un peu comme si mon espace se rétrécissait.

Je ne pourrais pas jouer à la chaise musicale. De toute façon, il n'y a qu'un siège et il est relevé.

À l'heure qu'il est, les élèves sont assis à leur place et Geneviève se prépare à demander à l'avant...

— Doum-Doum ?

C'est mon ami Anthony !

— Anthony ! Ici !

Dans le bas de la porte, je vois apparaître deux espadrilles bleues comme ses yeux.

— Es-tu malade ? Ça te prend bien du temps !

— Non, je ne suis pas malade.

— Qu'est-ce que tu fais ? Geneviève te cherche partout... La porte est verrouillée ?

Il frappe trois coups qui ébranlent la cabine.

— Non ! Ce n'est pas la porte.

— C'est quoi ? me demande Anthony.

— Euh...

Dois-je lui en parler ? Comme si j'avais le choix... Dans un murmure, je lui dis :

—Ma fermeture éclair est brisée...

—Quoi ?

—Mon zipper... Il ne veut pas remonter !

J'attends une réponse qui ne vient pas assez vite à mon goût.

—Anthony ? T'es toujours là ?

—Ou... Oui... Humpfff !

Et il laisse aller l'éclat de son rire qui remplit la pièce.

—Ouaaaaah ! Ha ! Ha ! Ha !

Je frappe dans la porte à mon tour.

—Eh ! C'est sérieux. Je suis coincé !

Autre silence.

—Coin... Coincé au petit coin ?

Autre éclat de rire. Tout aussi insupportable que le premier. Pour ma part, je ris jaune pipi.

— Arrête ! me dit-il. Je vais faire dans mes culottes.

Il entre dans la cabine à côté. Il y fait un pipi interminable et tire la chasse pour reprendre sa place.

Ses espadrilles se présentent à nouveau devant le bas de ma porte.

— Tu veux de l'aide ?

— Oui. Que ferais-tu à ma place ?

— J'ai une idée : les pompiers ! Comme la fois où ta langue était restée collée sur le poteau en plein hiver... Je peux faire le 9-1-2.

— Nooon ! C'est le 9-1-1! Et va donc chercher le directeur.

— Je reviens tout de suite. Ne bouge surtout pas...

Et je l'entends s'éloigner en réprimant une envie de rire. On n'a pas le même point de vue sur la situation.

Encore chanceux que ce ne soit pas la journée pour la photographie de classe. Avec la taille que j'ai, je serais dans la première rangée. Attention, le petit oiseau va sortir !

Je passe le temps en tirant la chasse d'eau. Je remarque que l'eau, en s'évacuant, tourne dans le sens contraire des aiguilles d'une montre. Il paraît qu'en Australie, c'est l'inverse. Pour avoir l'heure juste, je devrais demander à mon professeur.

Quatre chasses d'eau plus tard, Anthony revient avec du renfort.

—Doum-Doum. Le directeur est dans une classe. Mais Jeannette, la secrétaire, est ici.

Elle frappe à son tour sur la porte.

—Douminic... Euh ! Dominic. Tu veux un coup de main ? me demande Jeannette.

—Noooon merci ! Et puis Anthony, arrête de rire !

Jeannette est gentille, mais c'est une fille. Grande, peut-être, même vieille comme ma mère, mais une fille quand même.

Une nouvelle voix se fait entendre dans la salle.

—Anthony... As-tu trouvé Dominic ?

Ah, non ! C'est la voix de mon professeur, Geneviève.

—Doum-Doum ! Tu-as-de-la-vi-si-te, dit Anthony en martelant la porte pour chaque syllabe.

Ça devient de plus en plus gênant.

À son tour, Geneviève cogne, cogne, cogne sur la porte.

—Dominic... Sors de là ! ordonne-t-elle.

—Je ne peux pas ! Et s'il vous plaît, ne frappez plus sur la pooooorte !

—Que se passe-t-il ? demande Geneviève, sur le même ton que pour un examen.

—Je... je ne suis pas prêt pour la communication orale.

Plutôt mentir que de lui dire la vérité.

J'entends des chuchotements. Ça ressemble à Anthony quand il me glisse les réponses à l'oreille. C'est suivi de petits rires que l'on veut étouffer. Geneviève n'est pas capable de se retenir.

J'ai envie de pleurer tandis que, de l'autre côté de la porte, c'est la fête ! C'est moi le clown.

Mon moral est au plus bas.
Que je suis malheureux...

Chapitre 5

Situation délicate, mais pas désespérée

Cinq minutes plus tard, TOUS les élèves de ma classe se retrouvent dans la salle de toilettes. Je vois plein d'espadrilles qui piétinent d'impatience et qui se pressent près de la porte. Il y a même des filles qui passent de curieuses remarques :

— C'est quoi les petites pastilles, au fond, là ?

C'est la voix de Sandrine.

Anthony a dit que c'était de la menthe et qu'elle pouvait y goûter si ça lui disait. Mais Geneviève est intervenue avant. Avec le caractère qu'elle a, Sandrine aurait eu de la difficulté à l'avaler celle-là.

Quand les élèves ont su que seul mon orgueil était en danger, ils ne se sont pas gênés pour rire un bon coup.

Je suis humilié.

Comment oserais-je leur faire face maintenant ? Je suis condamné à vivre dans une toilette. On me glissera mes repas par le bas de la porte comme à un vulgaire prisonnier. C'est ici que je vais manger, boire, dormir assis, me laver, vieillir et mourir. On répandra mes cendres dans la cuvette et on fera partir l'eau en chantant : « Ce n'est qu'un au revoir. »

Mon professeur Geneviève impose le silence à tous. Elle essaie de me convaincre de sortir de mon abri.

—Allez, Dominic. Ton petit manège a assez duré.

—Hé, Doum-Doum, je ne savais pas que tu avais un petit manège, lance Anthony, suscitant une autre montée de rires chez les élèves.

Celui-là, je le retiens...

—Dis, Geneviève, si je lui prêtais mes pantalons ? Je pourrais prendre sa place et l'attendre...

C'est Xavier Beaulieu. Je le reconnais à sa voix aiguë. Il ferait n'importe quoi pour éviter de passer devant la classe. Il déteste les communications orales.

C'est toujours lui qui me suit, dans l'ordre alphabétique : Abel, puis Beaulieu. Mais Geneviève a vu clair dans son jeu. De toute façon, on n'a pas la même taille de pantalon.

—C'est généreux de ta part, Xavier, mais tu n'y échapperas pas.

—Oui, mais Geneviève, je te répète que mon nom de famille, c'est Xavier, plaide l'innocent à son professeur. Beaulieu, c'est mon prénom. Le prêtre s'est trompé sur mon certificat de naissance.

—Après le A, c'est le B... comme Beaulieu ! Point final ! tranche mon professeur.

—C'est dommage, Geneviève, que je lui dis à travers la porte, parce que j'étais préparé comme jamais.

—J'ai une idée, Dominic, dit Geneviève. Ta communication orale, tu pourrais la faire de là où tu es, me suggère-t-elle.

—Même la porte fermée ?

—Mais oui, répond Geneviève.

Brillant. Pourquoi n'y ai-je pas pensé moi-même ?

—D'accord !

Je m'imagine devant la classe, la fermeture éclair remontée, bien sûr. Je vois, dans ma tête, les élèves sagement assis. Je repasse en vitesse mes trucs mnémo... mimo... mémo... Enfin, ces trucs-là ! Et je commence :

— Bonjour. Je vais vous parler de la plus belle journée de ma vie. Non, ce n'est pas aujourd'hui (ce bout-là, je viens de l'improviser !) C'est quand ma petite sœur, Isabelle, est arrivée à la maison. Elle a la peau toute rose et toute neuve. Elle n'a pas encore de dents, ce qui ne l'empêche pas de sourire beaucoup. Je peux la prendre dans

mes bras. Mes parents me le permettent. Ça me fait de gros muscles. Elle dort dans ma chambre. J'ai dû déménager au sous-sol, sinon je ne dormirais pas la nuit comme c'est le cas pour maman. J'aime mon Isabelle grand comme ça !

Bang !

C'est le bruit que mes mains ont fait après avoir frappé chaque côté de la cabine. J'étirais les bras pour dire comment grand je l'aime.

— Et je vous remercie de votre attention.

Voilà, sans aucune hésitation, du premier coup. Comme je l'ai prévu. Enfin, presque...

À ma grande surprise, les élèves applaudissent. Je suis tellement content que j'oublie l'endroit où je me trouve. Je me penche pour saluer. Parce que ça fait partie de mon scénario.

Bang !

Je me suis cogné le front sur la porte fermée. Ayoye !

Et c'était idiot : personne ne peut me voir.

—Bravo, Dominic, me lance Geneviève. Maintenant, il te faudra bien sortir de là un jour...

—Mais que faites-vous tous ici ?

C'est la grosse voix de Roger, le concierge. Geneviève lui résume la situation, délicate, mais pas désespérée.

—Je vois... Je vois... Je vois...

Ses chaussures de travail surgissent dans mon champ de vision sous la porte.

Il me tend, par cet espace, un petit flacon.

—C'est de l'huile à machine à coudre. Mets-en quelques gouttes et tout devrait rentrer dans l'ordre.

Je fais comme le concierge m'a conseillé. J'y vais avec soin,

ROGER

pour ne pas tacher mon pantalon.

Je prends une grande inspiration. Je tire vers le haut.

La fermeture remonte en un éclair. C'est du tonnerre !

Je lâche un cri de joie !

Triomphant, brandissant le flacon, j'ouvre la porte.

Je suis accueilli par des « Hourra ! » et des « Bravo ! » et des « C'est vrai qu'elle est remontée ! »

Je remets le précieux flacon à Roger, le concierge, avec toute ma gratitude.

—Geneviève, c'est à mon tour ! s'exclame Xavier Beaulieu, à la surprise de tout le monde.

Et Xavier s'enferme dans la cabine. Il commence sa communication orale :

—Bonjour. Je vais vous parler de la plus belle journée de ma vie.

Pour la première et seule fois dans l'histoire de l'école André-Fortin, la salle des toilettes a été transformée en salle... de classe.

Épilogue

Pas encore !

Quand je suis arrivé à la maison, pour le repas du midi, j'ai donné un bec à Isabelle, ma sœur, puis j'ai raconté ma mésaventure à mes parents. On a tous ri.

Juste avant de repartir pour l'école, je suis allé aux toilettes, parce que j'avais bu beaucoup de lait au repas...

Ah, non ! Pas encore !

— Qu'est-ce qu'il y a mon chéri ? me demande maman, de la cuisine.

—C'est ma fermeture éclair !

—Quoi ? Elle ne veut pas remonter ?

—Non, maman. Elle... elle ne veut plus descendre, dis-je en faisant la danse de la pluie... qui s'annonce.

Alain M. Bergeron

Je ne peux pas dire que je garde un tendre souvenir de mes communications orales. Je commence à peine à m'en remettre !

L'idée alors de devoir parler devant tout le monde me terrorisait, même s'il s'agissait de mes amis. J'avais beau écrire mon texte à l'avance, le répéter et encore le répéter, j'oubliais tout dès que le professeur m'appelait. Quand on se nomme Bergeron, notre tour arrive toujours trop vite. Il arrivait que des petits bouts me revenaient en mémoire, je n'étais pas pourtant au petit bout de mes peines. Comme j'étais très timide, je ne savais pas trop comment me tenir pour ma communication. C'était un cauchemar à chaque fois !

Quand j'avais terminé, je retournais à ma place presque en courant et ensuite, je faisais comme les autres : je riais de ceux et celles qui me suivaient.

Samuel Parent

Ne m'appelant pas Abel ou Zervais, en tant que Parent, je me situais pas mal dans le milieu du peloton d'exécution lorsque le professeur nous demandait d'aller devant la classe pour la communication orale. Quand j'entendais mon nom, le coeur battant, je jetais un dernier coup d'oeil à ma feuille avant de me retrouver au front. Voilà, j'étais fin prêt.

— Euh...

J'essayais de revoir mentalement ma feuille qui reposait maintenant à des kilomètres de moi, sur mon bureau. La seule phrase qui me revenait en tête c'était : Merci de votre attention.

La dernière du phrase du texte ! Je n'étais pas très doué à l'époque... et ça ne s'est guère amélioré avec le temps.

Les communications orales, franchement, j'aime mieux les illustrer pour les romans-jeunesse

Merci pour votre attention...

Édition spéciale pour
le Club de livre Scholastic

Achevé d'imprimer
sur les presses
de AGMV-Marquis
en février 2005